WIL
y
SMYGLWR

John Ryan

DREF WEN

Roedd 'na unwaith lanc ifanc llawen o'r enw Wil. Roedd
yn byw ar lan y môr mewn cymdogaeth lle roedd llawer o
smyglo. Rhag ofn nad wyt yn gwybod, mae smyglo yn
golygu dod â phethau i mewn i'r wlad yn erbyn y Gyfraith.
Amser maith yn ôl roedd tipyn go lew o Gymry yn gwneud
hyn, gan wneud tipyn go lew o arian.

Felly penderfynodd Wil ddod yn smyglwr hefyd.

Ond roedd Wil mor benchwiban nes ei alw ei hun weithiau'n
Wil y Smyglwr ac weithiau'n Swil y Myglwr!

Roedd Wil yn perthyn i gang mwyaf brawychus y glannau
– gang y Penfreisiaid. Cafodd y gang ei enw ar ôl ei
arweinydd, Bopa Benfras, hen wraig ddychrynllyd oedd yn
gryf fel tarw ac yn ffyrnig fel blaidd. Roedd ei harswyd ar
bawb, ac eithrio un dyn…

…Capten Crabas,
swyddog ifanc dewr ym
myddin y Brenin.

Cafodd y Capten ei ddanfon i'r glannau er mwyn rhoi stop ar y
smyglo unwaith ac am byth. Dal Bopa Benfras wrthi'n smyglo,
dyna oedd ei fwriad. Doedd ef ei hun ddim wedi ei gweld hi
eto, ond gorchmynnodd i'w filwyr ei gwylio hi ddydd a nos.

Un noson galwodd Bopa Benfras am Wil ac meddai, "Wil
(neu ynteu Swil?), dw i am iti fynd â'r gasgennaid
werthfawr 'ma o frandi, 'dyn ni newydd ei smyglo i mewn
o Ffrainc, a'i chladdu hi. Clywais fod y Capten Crabas cas
'na yn y cyffiniau, a gwae ni os cawn ni'n dal ganddo. Ond
fyddai neb – ddim hyd yn oed Capten Crabas – yn dy amau
di o fod yn smyglwr, na fyddai?"

Felly cychwynnodd Wil
allan dros y Gors yn
cario'r gasgen frandi.
Gyda fe aeth Topsi, ci
bach coll nad oedd yn
perthyn i neb, ond oedd
yn dilyn Wil i bobman.

O'r diwedd daethon nhw o hyd i
le da.

Palodd Wil dwll dwfn, a chladdodd
y gasgen.

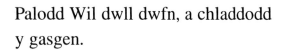

Aeth adre yn fodlon iawn ar ei waith.

Y noson honno, fel bob noson, breuddwydiodd am Sali, ei gariad. Roedd e'n mynd i briodi Sali ryw ddydd, pan oedd e'n gyfoethog – er na allai yn ei fyw feddwl *sut* y byddai'n dod yn gyfoethog.

Bore trannoeth, pan oedd Wil a Topsi'n cael brecwast, daeth Bopa Benfras a'r Penfreisiaid i'r tŷ.

"Reit, Wil," meddai Bopa, "ble mae'r gasgen 'na 'te?"

Crafodd Wil ei ben. "Ym…er…ym," meddai…

…achos y gwir oedd, roedd e wedi bod yn meddwl cymaint am ei Sali fach ddel nes anghofio popeth am ble roedd e wedi claddu'r gasgen!

Aeth Bopa Benfras yn benwan. Dychrynodd Wil o'i groen.

Rhedodd mor wyllt, heb edrych ble roedd e'n mynd, nes bron â dymchwel Sali, oedd wedi bod yn siopa.

"Swil bach!" meddai hi. "Hynny yw, Wil. Beth yn y byd sy'n bod?"

Felly dywedodd Wil yr hanes.

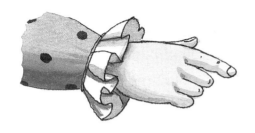

A phwyntiodd at Topsi, oedd yn cyfarth a siglo'i chynffon, ac yn dangos y ffordd.

"Dere, Wil!" meddai Sali. "Mae *hi*'n gwybod, o leia." Ac i ffwrdd â'r ddau ar ôl y ci bach.

Ond doedd y naill na'r llall yn sylweddoli bod gang y Penfreisiaid yn eu gwylio.

"Ar eu holau nhw!" ysgyrnygodd Bopa Benfras. "Mae'r Wil 'na mor wirion, fe anghofith am beth mae fe'n chwilio!"

Felly i ffwrdd â'r gang ar ôl Topsi, Wil a Sali.

"Cadwch o'r golwg," meddai Bopa Benfras. "Dw i ddim am iddyn nhw wybod eu bod nhw'n cael eu dilyn!"

Yr hyn na wyddai'r Penfreisiaid oedd eu bod nhw hefyd yn cael eu dilyn!

Roedd un o'r milwyr wedi bod yn gwylio pan oedd Bopa Benfras yn holi Wil am y gasgen. Wedyn roedd e wedi gweld pawb yn cychwyn allan i chwilio amdani. Ac adroddodd y cyfan i Capten Crabas.

"Da iawn chi," meddai Crabas. "Dyma'n cyfle i'w dal nhw i gyd wrthi! Dewch!"

Gorymdaith ryfedd iawn, felly,
oedd cyn hir yn gwneud ei ffordd
ar draws y Gors.

Ar y blaen roedd Topsi, Wil a Sali, oedd heb wybod bod
y Penfreisiaid ar eu hôl.

Yna deuai'r Penfreisiaid, oedd
heb wybod…

…bod Capten Crabas a'i
filwyr ar eu hôl hwythau.

Ymlaen ac ymlaen â nhw. Yna safodd y ci bach. Dechreuodd durio…dan olwg brwd Wil a Sali…a'r Penfreisiaid…a Capten Crabas a'i filwyr.

Âi'r twll yn ddyfnach ac yn ddyfnach.

Tynnai'r gwylwyr yn nes ac yn nes.

Roedd pawb wedi cyffroi cymaint nes peidio â gweld ei gilydd. Yna i
fyny daeth Topsi…

…â chlamp o ASGWRN yn ei cheg!

"O na!" llefodd Wil.
"Aros di," meddai Sali.

"Fe gladdodd hi'r asgwrn ar ben
rhywbeth! Edrych!"

Felly aeth Wil ati â'i bâl, a chyn pen dim fe lusgon nhw'r gasgen o'r twll.

"OHO!" gwaeddodd Capten Crabas a'i ddynion,
gan ruthro ymlaen i gipio'r gasgen.

"AHA!" sgrechiodd Bopa Benfras a'r Penfreisiaid, gan wneud yr un peth.

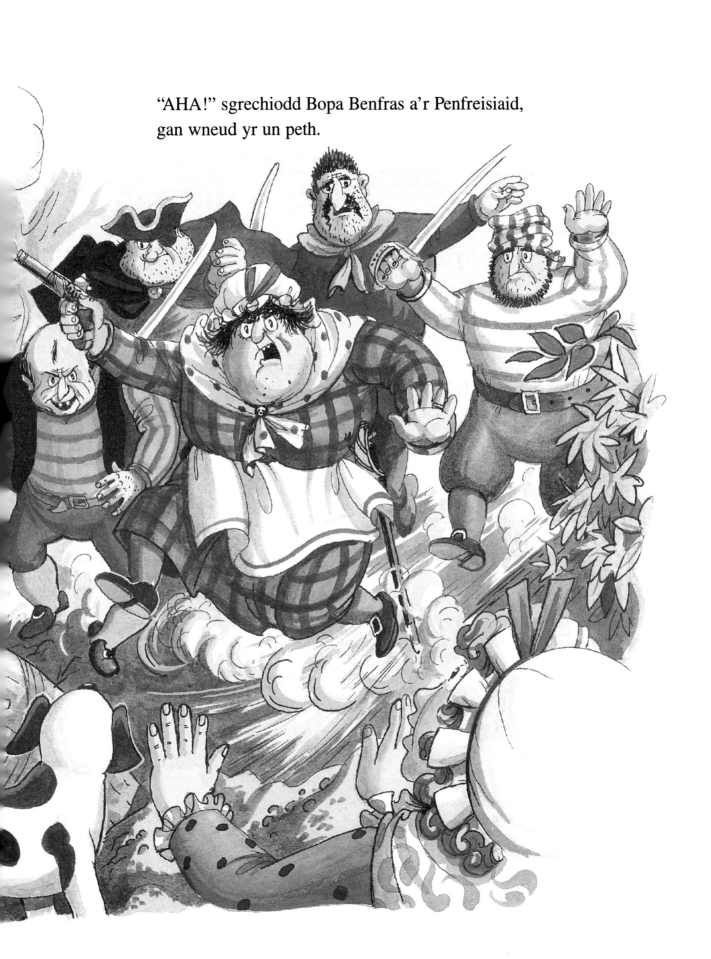

Yna dechreuodd ymladdfa ffyrnig am y gasgen frandi. Roedd y ddwy blaid yn benderfynol o'i chael, ac roedd Capten Crabas yn benderfynol o ddal Bopa Benfras hefyd.

Yna'n sydyn…

"Arhoswch!" gwaeddodd Capten Crabas. "Y MAN GENI 'na ar eich wyneb, ar lun pysgodyn!! Rwy'n cofio…rwy'n cofio…"

"Arhoswch!" sgrechiodd Bopa Benfras.
"Dangoswch eich llaw dde, ddyn ifanc!
CHWE BYS!!!
Rhaid mai…Ie…"

A dyna sut collodd Wil y Smyglwr y gasgen frandi werthfawr, a'i chael drachefn, a sut collodd Bopa Benfras ei ŵyr annwyl Capten Crabas, a'i gael drachefn.

Maes o law aeth pawb yn ôl i wersyll y milwyr.

"Ac mae'r ddau ifanc 'ma yn haeddu gwobr am ddod â ni 'nghyd," meddai'r Capten. "Dyma gant o goronau ichi'ch dau. Dyna'r wobr baswn i wedi'i rhoi i rywun am ddod â'm hen Nain annwyl 'ma i ddwylo'r Gyfraith!"

Yna dechreuodd y parti. Cafodd pawb amser bendigedig. Bu milwyr a smyglwyr yn dawnsio gyda'i gilydd.

Dawnsiodd Wil a Sali hefyd, a Wil yn cydio'n dynn yn y cwdyn aur a gafodd gan y Capten.

"'Dyn ni'n gyfoethog o'r diwedd, Sali," meddai fe. "Nawr medrwn ni briodi!"

"O Swil – hynny yw, Wil!" meddai Sali. "Ac fe allen ni roi cartref i Topsi hefyd. Be wyt ti'n feddwl, Topsi?"

Ond roedd Topsi wedi blino'n lân
ar ôl cymaint o redeg a thurio.
Roedd hi'n cysgu fel twrch.